CW00666663

Un personnage de Thierry Courtin

25, avenue Pierre-de-Coubertin, 75013 Paris
ISBN : 978-2-09-257077-7
Loi n°49-956 du 16 juillet 1949
sur les publications destinées à la jeunesse,
modifiée par la loi n°2011-525 du 17 mai 2011.

Achevé d'imprimer en novembre 2018 par Lego, Vicence, Italie.
N° d'éditeur : 10250530 - Dépôt légal : janvier 2017.

T'choupi
fête son anniversaire

Illustrations de Thierry Courtin

Aujourd'hui, c'est l'anniversaire
de T'choupi.
– Maman, est-ce que
mes copains vont bientôt
arriver ?
– Un peu de patience,
T'choupi. Il faut d'abord
décorer la maison.

– Tu viens Doudou, on va accrocher tous les ballons !
– C'est très joli mon T'choupi, dit papa. Tout est prêt, maintenant.

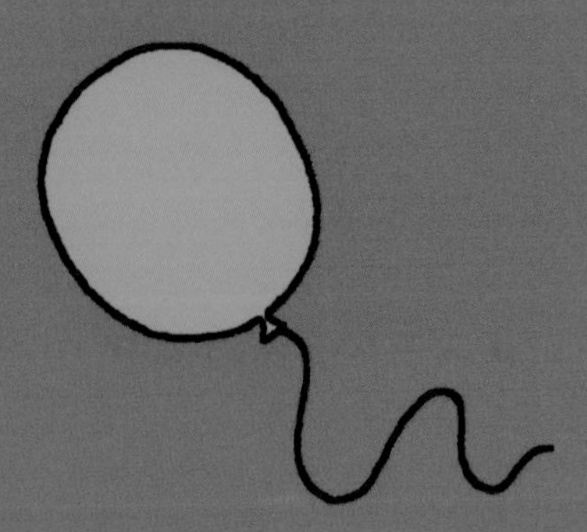

À trois heures, Pilou
et Lalou arrivent.
– Coucou, dit T'choupi.
Oh mes cadeaux !
Je peux les ouvrir ?
– Allez d'abord jouer un peu,
dit maman.

T’choupi, Pilou et Lalou
courent dans le jardin.
– Regardez ! Papa a préparé
une pêche à la ligne !
s’écrie T’choupi.

– Oh oh ! J'ai pêché un gros poisson ! dit T'choupi.
– Moi aussi ! dit Pilou.
Il est rempli de bonbons !

– C'est l'heure du gâteau ! appelle maman.
– Chouette ! s'exclame T'choupi. Vous allez voir, il a l'air délicieux !

T'choupi et ses amis
commencent par manger
quelques bonbons.
Puis papa arrive avec
le gâteau.

Tout le monde chante :
JOYEUX ANNIVERSAIRE,
T'CHOUPI !
Puis T'choupi souffle très fort
sur ses bougies !

– Qui veut du gâteau ?
– Moi, moi ! s'exclament en même temps T'choupi, Pilou et Lalou.
– Et maintenant, annonce papa, tu peux ouvrir tes cadeaux !

– Merci les amis !
C'est super les anniversaires !

Découvre d'autres aventures de T'choupi

1. veut un chaton
2. ne veut pas prêter
3. n'a plus sommeil
4. jardine
5. fait du vélo
6. est trop gourmand
7. est en colère
8. s'amuse sous la pluie
9. se déguise
10. fête Noël
11. se baigne
12. fait un bonhomme de neige
13. fait une cabane
14. rentre à l'école
15. a peur de l'orage
16. a une petite sœur
17. se perd au supermarché
18. prend le train
19. part en pique-nique
20. est malade
21. fait une surprise à maman
22. fête son anniversaire
23. a perdu Doudou
24. fête Halloween
25. fait un gâteau
26. va au cirque
27. fait de la musique
28. veut regarder la télé
29. fait un tour de manège
30. s'occupe bien de sa petite sœur
31. fait la sieste
32. est fâché contre papa
33. va sur le pot
34. a peur des chiens
35. cherche les œufs de Pâques
36. prend son bain
37. veut tout faire tout seul
38. aime la galette
39. ne veut pas se coucher
40. va à la piscine
41. fait des bêtises
42. part en vacances
43. est poli
44. s'habille tout seul
45. fait du poney
46. a une nouvelle nounou
47. a la varicelle
48. dort chez papi et mamie
49. bientôt grand frère
50. déménage
51. fait du bateau
52. mange à la cantine
53. a un bobo
54. a une amoureuse
55. va à la ferme
56. n'aime pas la bagarre
57. fait du ski
58. n'a plus de tétine
59. joue au tennis
60. dit non !